Creaduriaid Bychain

Mae Peppa a George yn helpu
Taid Mochyn i godi llysiau.
Mae Taid Mochyn yn rhoi
letysen i Peppa.

Mae Peppa'n gallu gweld rhywbeth yn gorwedd
ar ddail y letysen. "Dyna anghenfil hyll!"
meddai hi, gan rochian.

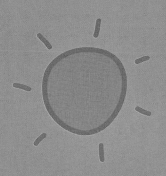

"Dim ond malwoden fach ydy hi!"
meddai Taid Mochyn.
"Grrr. Hen-fil!" rhochia George.

Mae George yn hoffi'r falwoden.

Yn sydyn, mae'r falwoden yn diflannu.

"Ble aeth hi?" gofynna Peppa.

"Mae hi'n cuddio yn ei chragen,"

eglura Taid Mochyn.

"Taid! Mae George a fi eisiau bod yn falwod," meddai Peppa.

"Wel," meddai Taid Mochyn,
"gallwch chi ddefnyddio'r basgedi hyn fel dwy gragen!"
"Rydw i'n mynd i fwyta letys Taid Mochyn i gyd!"
chwardda Peppa.

"Oi! Gadewch lonydd i fy letys i, y malwod drwg!"
gwaedda Taid Mochyn.

"A phan mae Taid Mochyn yn gweiddi arna' i, rydw i'n cuddio yn fy nghartref bach!" chwardda Peppa.
"Hen-fil!" meddai George.

Dyma ffrindiau Peppa a George.
"Gawn ni fod yn falwod hefyd?"
maen nhw'n gofyn.

"Wel," meddai Taid Mochyn, "fe allech chi ddewis bod yn greadur bach arall o'r ardd."

"Be ydy'r sŵn suo yna?" gofynna Peppa.

"Mae'r sŵn yn dod o'r tŷ bychan yna,"
meddai Siwsi'r Ddafad.
"Tŷ i'r gwenyn ydy hwnna,"
eglura Taid Mochyn.
"Cwch gwenyn ydy'r enw cywir."

"Mae'r gwenyn yn casglu neithdar o'r blodau ac yna'n hedfan i'r cwch gwenyn i'w droi'n fêl."

"Mmm, dwi'n hoffi mêl," meddai Peppa.

"Beth am i ni esgus bod yn wenyn!

Bsss, bsss, bsss! Ha ha ha!"

"Dyna wenyn prysur!" chwardda Taid Mochyn.

Mae Nain Mochyn wedi bod yn pobi bara.
"Ydy'r gwenyn prysur eisiau tost?" gofynna hi.

"Ydyn, os gwelwch yn dda!"
meddai Peppa a'i ffrindiau.
"Gyda llond gwlad o fêl!"

"Rydw i'n hoffi bod yn wenynen – mae gwenyn yn bwyta llond gwlad o fêl blasus!" meddai Siwsi'r Ddafad.

"Ac rydw i'n hoffi bod yn falwoden," rhochia Peppa. "Mae malwod yn bwyta llysiau Taid Mochyn i gyd!"